Texte et illustrations : Bruno St-Aubin

Papa est un castor bricoleur

À PAS DE LOUP
niveau 1

J'apprends à lire

Dominique et compagnie

Données de catalogage avant publication (Canada)

St-Aubin, Bruno
Papa est un castor bricoleur
(À pas de loup. Niveau 1, J'apprends à lire)
Pour enfants.

ISBN 2-89512-186-9

I. Titre. II. Collection.

PS8587.A255P35 2001 jC843'.54 C2001-940329-1
PS9587.A255P35 2001
PZ23.S24Pa 2001

Éditrice : Dominique Payette
Directrice de collection :
Lucie Papineau
Direction artistique et graphisme :
Primeau & Barey
Dépôt légal : 3e trimestre 2001
Bibliothèque nationale du Québec
Bibliothèque nationale du Canada

Dominique et compagnie

300, rue Arran, Saint-Lambert
(Québec) Canada J4R 1K5
Téléphone : (514) 875-0327
Télécopieur : (450) 672-5448
Courriel : info@editionsheritage.com

Imprimé au Canada

10 9 8 7 6 5 4 3

Nous remercions le Conseil des Arts du Canada de l'aide accordée à notre programme de publication, ainsi que la SODEC et le ministère du Patrimoine canadien.

Gouvernement du Québec – Programme de crédit d'impôt pour l'édition de livres – Gestion SODEC

À mon grand frère et à tous mes amis dont les papas ont toujours quelque chose à faire...

Avant, papa ressemblait à un dinosaure.

Il était un peu bizarre… mais surtout très drôle !

Maintenant, on dirait un vrai castor.

Il bricole sans arrêt.

Maman, elle, trouve ça très commode.

Il rafistole toutes sortes de babioles.

L'été, papa nous construit des cabanes.

L'hiver, il nous fabrique des igloos.

Nous, on veut jouer avec lui.

Mais rien à faire, il est trop occupé.

Le soir, papa dévore des revues de rénovation.

C'est qu'il mijote de gros travaux
de construction.

D'abord, il fait des plans et une maquette.

Mais la supercolle… ce n'est pas son rayon !

Il est plus doué en électricité.

Il se défrise les cheveux en un rien de temps.

Quand papa rate un clou, il devient terrible.

Il nous regarde avec de gros yeux.

Il réussit quand même à réparer
le toit de la maison.

Maintenant, il ne pleut plus
sur le plancher !

Pour remercier papa,
nous l'aidons à désherber le jardin.

Mais il ne faut pas lui parler.
Il est trop occupé.

Il se réfugie dans son atelier…

où il travaille encore et encore !

Nous décidons de bricoler avec lui.

Pauvre papa, ça le stresse encore plus !

Malgré tout, nous aimons bien les dinosaures et les castors.

Mais nous préférons que papa s'occupe...

... de nous !